Bertrand,

Je te souhaite un agréable voyage au cœur de ce chaos joyeux, enragé et plein de musique !

Amitiés,

D.

Rêver au réel

DANIEL GROLEAU LANDRY

Rêver au réel

Poésie

Collection « Fugues/Paroles »

LES ÉDITIONS
L'INTERLIGNE

Catalogage avant publication de Bibliothèque et Archives Canada

Groleau Landry, Daniel, 1989-
    Rêver au réel / Daniel Groleau Landry.

(«Fugues/Paroles»)
Poèmes.
Publ. aussi en formats électroniques.
ISBN 978-2-923274-87-4

I. Titre. II. Collection: Collection «Fugues/Paroles»

PS8613.R6535R48 2012   C841'.6   C2011-907062-6

Les Éditions L'Interligne
261, chemin de Montréal, bureau 310
Ottawa (Ontario) K1L 8C7
Tél.: 613 748-0850 / Téléc.: 613 748-0852
Adresse courriel: communication@interligne.ca
www.interligne.ca

Distribution: Diffusion Prologue inc.

ISBN: 978-2-923274-87-4

LE PAYS DES REGRETS

À Patrice, qui m'a appris à parler

cruels

le moment est fixe
dans ses prétextes et préfixes
au début de phrases abruptes
qui maudissent
blessures hermétiques
cicatrisées et
cristallisées
sur un passé parsemé
de mémoires porcelaines

la route défile
devant des yeux
noircis de sommeil

j'habite une bulle
remplie de vide
et de gravité pesant
sur la proue du navire
de mon corps

trou noir
solitude visionnée
voyeurisme solidifié
par tant d'années gaspillées
pour des rancunes charnelles.

eau de Javel coulée
sur un sexe tendu
plaisir et propreté
rarement entremêlés

nettoyeurs chimiques
frigorifiant les brûlures
de sales salives écoulées
sur une surface lisse
et douce
amère
fade

je suis la
suite des
mots
retenus
des morts
revenus
en ricanant

rien ne goûte
la vie. rien ne goûterait
la vie même si je
me souvenais de
ce que c'était
mais rien ne
me revient. ne
me laisse pas
partir. prends
mes clés de voiture.

au bord de la route défile la défaillance
de tes promesses
qui se tissent en silhouettes blafardes

cruels présages d'une
ascension précoce
vers un ciel nébuleux

cruel soulagement
dans des rêves
silencieux.

je suis cruel
tu es cruel
il est cruel
nous sommes cruels

vous êtes cruels
ils/elles sont la cruauté
de beautés effarouchées
de désirs enfouis
sous les draps
de nos lits

(ironie)

cruel
tu avales tout.

la poésie de nos corps

vers la chair
la langue se faufile
entre les nerfs
pour mieux goûter
la ferraille des
sensations

sur le choc
tes frayeurs nocives
fracturent le seuil d'une
euphorie oisive
et joignent le point culminant
à la courbe de la parabole

les ambulances de tes
empreintes digitales
effleurent leurs
premiers soins

sur les soies de
nos amours

la poésie de nos corps
mêle nos rêves et
nos remords
tandis que tu dévores
ma nuque comme si
tes désirs étaient carnivores
comme si tu connaissais ma faim
comme s'il ne faisait froid dehors

consolations dans l'union de nos proximités

on s'agrippe à l'amour
et à la vie
(ces vérités distraites)
comme à nos parapluies
durant la tempête

mais les éclairs zèbrent
la toile de nos ténèbres
tandis que les chaleurs
dans nos embrasures
oscillent dans le vent
décimées par l'usure

(pendant que)

s'agencent les rives
de nos urgences
et les flots
de nos vaillances

et le flux de mon cœur
conjugué à nos
passés composés
fixe l'horizon
et la défaillance
de sa symétrie.

l'amour et son siège

les matins de nos engueulades
nous fixent dans un rictus amer
sous les nuages et les plages
de nos caresses coléoptères
la lune cache sa face
derrière les dunes de nos grimaces
les ruines de nos amours
s'enfuient enfouies sous glaces
on trace des cicatrices avec les vides flasques
qui irriguent l'aube de nos colères avides
et qui essuient les traces d'incendies torrides

ces pluies de cendres effacent la suie
qui creuse des sillons
dans les déserts de la nuit
habités de nos espoirs
qui déplacent les charnières de nos corps
(tendres et coriaces)
remuant avec démence
sous leur carapace.

l'interférence des tics musculaires
dans les rayons de lumière
qu'extirpe l'incandescence
de l'intérieur de tes paupières
illumine la soie de ta foi en moi

assouvis ma soif de folie en toi

(le silence scelle
l'amour dans son siège
nos corps enlacés
dans un amas de grèves
forment la rencontre
d'une étincelle
et d'un flocon de neige.)

brouillard sur la houle ténébreuse

ton calme habité de songes
saisit mon cœur qui ronge
la tige de nos roseraies
pour ravir ses ronces

et elles
sous mes ailes
percent l'envol

des vibrations légères
sur la symétrie de tes paupières
la vision de vastes espaces
sans nom
sans fond
abîmes où sombrent mes joies fécondes
à l'aurore de ta douleur, couleur seconde

des fléchissements dans l'étendue de tes rivages,
tu résistes à l'éveil sans merci, sans remords et sans rage

j'aspire de longues bouffées
d'air froid qui pénètrent
pour apaiser les braises

doigts dans la distance
adroites discordances

puis, sur mes rivages
séismes en staccato
entre les barreaux
de ma cage thoracique

effluves encensés de sanglots insensés,
l'essence qui ensemence mes espaces ravagés

les fibres de ton corps sont étendues
et, tendu, tu rumines les mêmes vœux
butines les sèmes hargneux

le rêve échappatoire
contre vérités en trêve,
entraves à l'illusoire

les parfums du soir
émanent en douce
quantité industrielle

brouillard qui
enveloppe ta
vision de la vie

et

tes sens
se reposent
sur ta folie

le pays des regrets

ta silhouette
se détache
souplement
du soupir
de la nuit

depuis deux heures
du matin
je te regarde
sans oser te toucher

tu n'es pas amoureux de moi
et
je ne suis pas amoureux de toi
je crois

mais
le désir dépasse
les limites du réel

charnel
ton souffle
allume les chandelles
de mes yeux vitrioliques
dicte le tic-tac tacite
de mon cœur robotique

des espoirs
se faufilent
entre mes fantasmes
l'instant d'un lourd
orgasme de velours
entre tes cuisantes
vicissitudes
hantées de cuisses
et de béatitude

et je hisse
mon drapeau
cousu de plaies
sur les terres calcinées
du pays des regrets.

et mon sceptre brille
contre le tien (depuis toujours)

nostalgie amère
et cancéreuse

dans le climat
d'un sommeil
ivre et fiévreux

écorce de bouleau
contre ma peau écorchée
contre un mal qui
ne peut s'expliquer

car

la douleur laisse choir
l'innocence fanée
des bourgeons avortés
du jardin de mes espoirs.

ils ne sont qu'échos
de souvenirs perdus
dans la vase translucide
de mes rêves lucides.

je serais seul sur mes rivages
à tout jamais

solitaire
régnant sur mes sujets
au pays des regrets.

on peut…

on peut facilement
mourir de solitude
le temps d'un
espace silencieux
entre le bourdonnement
incessant
de nos murmures
et le grincement
existentiel
de nos armures.

il est facile de lâcher prise
de se laisser avaler
par le vide béant
sous nos pieds
il est facile de tomber
dans la beauté d'une journée

d'oublier l'avenir
et le passé

l'instant d'une
furtive lumière effleurant
le bout des ongles.

la musique
que jouent
les violons de nos lèvres
les soupirs des montagnes
des champs et des prairies
lisses panoramas de l'instinct avili
par le désir de plaisirs
affreusement gratuits

(et dans un instant de
panique cardiaque
j'ouvre mes veines sous
un ciel écarlate et j'ouvre
les yeux sous un ciel bleu
mes rêves parfois sont
gratuitement affreux)

j'oublie parfois
parfois j'oublie
que je suis
seul au monde
ici.

l'écho éclos
ses mots
qui bercent
les bourgeons
de mon cœur
au repos

(qui résonnent dans les nues
du firmament de ta peau)

j'essaie de rejoindre
l'espace silencieux
entre mes atomes
pour dissoudre
la douleur discrète
qui s'y cache.

des zéphyrs entrent
dans mes poumons
pour les éclaircir.

la fumée sort
de mes narines
dans un fou rire

solitude
passé présent avenir.

pour une vie ressuscitée

à Richard

des promesses d'éternité vacillent entre tes rires
lorsque les embarcations de mes mots
s'ancrent au port de tes blessures

ricanements sereins et légers contre la foudre
bref haussement des épaules devant la tempête
regard contemplatif vers l'horizon et ses pluies

doux silence ensorcelé par les songes du soleil

et la nuit
blotti et ronflant tendrement
ton souffle s'écoulant en mes pores
tes rêves s'infiltrent par osmose dans mon corps

une soif d'affection intarissable te démange
les mots que tu manies aussi bien que ton regard
tandis que moi, furtif dans l'abandon de mes pensées,
je t'écris un poème lacéré, troué,
spontané, joyeux et rempli de ta beauté

de courtes citations ponctuent de longues envolées
verbeuses, qui longent les murs de tes vies artificielles
je trace des hiéroglyphes dissimulés dans les nuages
au-delà de nos ciels amorcés

aérien,
gentil et géant
ton souffle s'écoulant en mon âme,
avec ses sonores timidités en flammes
rassasie mes poumons
en frénésies d'oxygène

toi qui es un instant parmi tant d'autres
et qui reluis parmi les amoncellements
tel un diamant parmi les perles
telle une rose parmi les marguerites
tel un rayon de soleil en fugue durant l'orage
toi qui es un homme parmi des milliards
un garçon des plus douces variétés
j'ai plus d'amour pour toi que mon cœur n'en saurait
    porter
et les flots brisent les barrages
irriguent mes déserts et vident mes nuages
en semences d'espoir pour une vie ressuscitée.

douleur?

1.

les pierres de mes paupières
(hier)
semblaient moins lourdes que ce fardeau
qui m'entraîne dans de lisses étaux
silencieux

et mes pupilles vacillent dans leurs lentilles
comme des drapeaux déchirés flottant sur leur mât
ballottant au gré des vents de grêle
qui se mêlent au souffle subtil d'une sonorité mutilée.

la lumière sur ma peau est craquelée

le rire ricaneur des fils barbelés fuit mon oreille et se
    couche à mes pieds.
douleur n'est plus douleur. elle est confort et me déchire
    de corps en corps encore et encore et encore jusqu'à
    la fin des dents.

elle est ange elle est fange
elle dérange elle me mange
elle me ronge elle me range
elle me frappe elle m'échange
elle m'échappe je l'attrape

ses lucioles me violent
changent mon sexe
et me rendent folle.

2.

douleur n'est que faiblesse quittant le corps
disait le slogan à la télé
douleur nous conduit au marché
sans la douleur, on ne saurait comment être heureux
on ne saurait pas quoi acheter

« Douleur ?
je l'ai connue
il y a longtemps »

et maintenant elle revient en cognant à la porte
d'un appartement vidé il y a longtemps

3.

charcuterie de
douceurs tactiles

recycle le bacille
redeviens lumière
redeviens paupière
redeviens chimère
et rassieds-toi.

douleur ?
ça fait longtemps
qu'elle pleure.
qu'il pleut.
qu'elle veut
m'avaler.

à deux
(peut-être)
on pourra s'en débarrasser.

flot de glaise

elle se niche dans l'ombre
de ma silhouette
contre le soleil en tuiles

son huile cuit
dans le poêle à bois

elle cuit et
j'attends

une odeur se
dégage, douce,
son velours fait de moi
un ours d'amour et
rousse, elle
pousse contre
les parois

je déchire sa
lumière subitement
mes bras d'argile se
défoncent contre ses
armures et je la noie
dans un flot de glaise.

j'ai vu un incendie

tu effleures les ondes de ma peau
en nos alcôves secrètes
où se cachent nos folies
essaims inquiets de tendresses ternies

tes douceurs douillettes dans un nid d'aiguilles
notre monde à l'envers dans tes yeux s'éparpille

l'aurore prochaine chuchote sa naissance
stroboscope brisé de faibles incohérences

le rouge le bleu le vert et l'orange
le familier s'accouplant à l'étrange

de longues bouffées de fumée
émanent de tes narines dilatées
et tes ailes de tôle
et ton halo zébré
ton sourire par tes crocs caché

derrière l'encéphale d'un amour encerclé
sont de sombres illusions qui hantent mes vérités

je plie
telle la lumière
entre les vertèbres
de la lentille

je crie
tel l'écho
entre des falaises
de cristaux fébriles

j'ai vu un incendie
ravager toute forme pure
dans les plus complexes recoins
de fractales embrasures
une vision fragmentée
en une tempête de grêle
une voix fermentée
qui stupidement bêle
ses frissons d'agneau
sous sa toison qui pèle
le feu avec son damné qui se relève.

défier l'apocalypse

pluies écrasées de sainte fierté
sur les rivages océaniques
d'un jardin inexistant
fructueuses atteintes amères
des parfums de tes fleurs fractales
jonchant les dalles de la spirale
en danse astrale sidérant le néant

du ressac jaillissent
des abcès de lumières frémissantes
qui échappent à ma langue nouée
rupture dans l'anéantissement nocturne

d'opaques grèves sillonnent les rivières
des sèves bruyantes de ténèbres assouvies
en mes plaies remuantes dans le sommeil des plis

le décalage horaire du destin démuni de ses calques
claque dans les flaques antipathiques de l'apathie

asphyxie de l'âme dans sa coquille de sens
qui lorgnent les bas-fonds d'une vorace subconscience

régurgitation granuleuse gargarisée
et douteuse des circonstances qui ont mené
a créer les charnières de l'existence
insistante sur elle-même
dans l'urgence de son silence

harmonie fragile de l'immensité indicible
et indissociable de la cible d'évocations qui me criblent
d'intonations sensibles et tactiles en leur absence

accrochée aux valses dérobées d'un
printemps semé en tes lisières
folie chatoyante autour de l'épave
sombrée dans les ondes lacrymogènes
d'essaims et de miasmes
de chiasmes et d'envols
d'atterrissages tremblotants
trempés dans l'encens de tes lèvres brûlantes

un baiser pour défier l'apocalypse
notre union courbe l'ellipse

louveteaux de soie

je veux m'enfuir
mais tu es là
tu sens l'encens
d'un saint sang froid

regard sur tes doigts en train de me regarder
tu es le seul qui me voit

il n'y a pas d'issue à l'usure de l'amour

je guide tes morsures au rythme où tes blessures
    guérissent et
je gère mal ton avarice
ton âme est couverte de varices de cicatrices de précipices
où je me laisse tomber. où je pourrais dormir et ne jamais
    hurler.

oasis, le flux de mes rêves
peut, veut, peut-être, peureux,

s'enraciner dans l'érosion érotique éclose dans une glose
de chairs et de pensées, et tu cites, excité

«je t'aime et toi non plus»

tu regardes la neige
le flot de flocons et de flamants roses
qui flottent dans la lumière de l'aube
le ciel est nuages orangés légers de rages et d'orages
    épuisés
les finales étapes sont achevées. soulève-toi de tes
    pieds. tu dois encore parler de tes vieilles habitudes
    fraîchement défrichées du sol saoulé d'eau de ta vie
    vivace et coriace jusqu'à l'infini

mes passions se tortillent
comme des louveteaux de soie qui mordillent en moi
dans la moisissure du soi d'une foi follement fermée
tu figes tes frayeurs d'animosité et d'animaux plastiques
faute d'avoir plus d'insécurité ils te lèguent une douleur
    statique

tu regardes la neige tomber
tes yeux ouverts vacillent
sous les ondes de choc
virevoltant dans le ventre du ventriloque
tu es d'une beauté rare, tissée de loques

flocons

jour de neige
calme et lent

les traces de pas s'effacent
au fur et à mesure que j'avance
derrière moi, le déversement
des pleurs gelés de l'automne
dans la brume du temps

jour défriché
dans les forêts de nos cœurs
la lumière se confond,
s'éparpille en lueurs
qui s'évanouissent dans la chair
moelleuse des bancs de neige

en marchant
j'entends
chaque pas

je ressens
chaque respiration
mes globules se glacent dans mes veines
tracent les contours des chemins qu'ils prennent
mon cœur bat
contre le frimas
la buée de nos paroles
une auréole de fumée
autour de l'arche de ta bouche

conversation pour oublier
que la destination s'est éloignée
semble plus lointaine à chaque nouveau pas

mais la vie, elle
semble plus belle
car elle est plus visible
remuant sous une couche de neige
remuant sous une couche de chair

dioxyde cardiaque

tension somatique
je regarde cette ligne
d'un air erratique
je n'ai pas de
je n'ai pas de raisons
je n'ai pas déraison
juste un déraillement
de bourdonnements
entre mes tièdes fétiches néons

ces pensées percent
ma coquille nébuleuse
transmise par poésie pulmonaire.

diaphragme dilaté
à la limite de sa capacité

fission nucléaire au centre de ma gravité.

il y a une porte à la fin d'un tunnel
qui ne mène nulle part
qui ne mène qu'à un
désespoir facile.

mes espoirs tactiles se retrouvent en état de choc. car

tes yeux bridés d'innocence inoculent en mon âme des
bactéries temporelles

ils m'ouvrent et me laissent absent
dans le creux d'une fosse subconsciente.
le noir de tes pupilles me calme
de fantasmes sereins. mais

la rumeur court dans
mes jardins effleurés
que tu t'es
finalement
tué.

à force de vouloir,
à force de pouvoir,
à force d'avoir aimé.

CRAQUELÉ DE MORSURES

*Pour Alain Doom
sans qui ce recueil n'existerait pas*

au loin, les flammes…

entre l'horizon et la cime d'un silence

je sens trembloter une douce mélodie
substance subtile qui coule entre mes doigts
construction limpide
des fébriles charnières
en moi

rires
à la vitesse
de la lumière
pour effacer les traces
de la dernière
molécule de prière

vices
de retour dans ma chair
désirs brûlants de zéniths qui macèrent
mon âme
pâmée et vacillante

oscillation oisive
de nuances infectes
ennuagées d'aires chétives
répugnantes

entre l'horizon et le crime du silence

lividité stérile d'une bile d'avidité
anorexie de plaisirs amoncelés
en statuettes de triste cire
sournois soupirs de sinistres condoléances

l'arbre décharné par l'hiver hurlant
la moelle la sève le sang
brûlé séché
par les miasmes féeriques d'un printemps sulfurique

recouds le pouls qui louche
dans les plaies ensevelies
entre les plis de ma bouche
dissimulée dans la fissure
de l'horizon farouche

au loin
les flammes
qui consument
mes arbres

qui avalent mes forêts
qui engloutissent mes secrets
dans l'avarice d'une invasion névralgique

au loin
les flammes
des corps de femmes
sont des étincelles éteintes
qui crépitaient dans mon ventre

au loin
les braises
dans le bris du silence
goût de cendres sur ma langue
languissante

au loin
les falaises
construites par des fadaises
illusoires dans la passoire
où crèvent les fraises
nées du buisson de mon cœur

au loin
les flammes
qui approchent, calmes
leur chevelure affamée insatiables

(vers l'horizon
je cours toujours
la poésie à mes trousses
le silence à la rescousse)

au loin
les flammes
qui dévorent mon âme

et ne laissent que les cendres
d'une fébrile langue

corps et âmes

pour Étienne Lessard

visions viscérales de l'oubli.

rasés et nus sur le
grillage chauffé à
blanc. le paysage
calqué par tant de
visages qui ne sont
qu'ornements
entre les cornes
du vent
déchirant

panorama peint de sang feint
sans fin.

étendues de
corps et d'âmes
fermés et vulnérables
aux intempéries de l'intériorité

« L'individualisme est absurde », dit-il
en me parlant de liberté
il me dit qu'elle ne commence pas avec la sienne, mais
    avec celle des autres.
la liberté la liberté Laliberté
c'est un des noms de ma petite sœur
le trou dans son cœur s'est fait recoudre à l'âge de huit
    ans

j'aurais aimé que le chirurgien recouse
le trou dans ma tête
avant de me renvoyer
dans l'œil de la tempête

masse uniforme faces uniques corps conformes esprits
    obliques

suivons cette file fatidique
avec nos sourires empruntés
et enfilons nos espoirs calcinés
pour sortir jouer dans les cendres de la vie
à la récré.

craquelé de morsures

à Michel Dallaire
qui a toujours cru en moi

1.

la nuit met mon âme au frais
et suffoquent les loques tissées
en rauques et glauques socles
dans lesquels reposent les gloses
de l'aube disloquée d'apothéoses
évoquées parmi les roses
ravitaillées et moroses
sillonnées d'ecchymoses
et ravies de ronronnements,
saccagés d'amoncellements,
endormis dans le néant,
éparpillés par le temps,

le vent évacuant la poussière et la terre
de mes paupières pour voir mon sang,
bouillant, écumant,
dans le printemps paradisiaque et insolent,
de l'innocence brise mes rangs

en flots nacrés et rayonnants,
je ne suis qu'un moment
dans l'éveil des cauchemars de la nuit des temps

je joue le jeu des jours qui jumellent les soirs aux mémoires
dans de noires soies somnifères où macèrent mes rêves
    rabougris
qui tentent de se mesurer aux seuls vrais de vrais,
ceux de la parole et de l'oubli

(des banderoles de solitude
où j'expie ma colère
sur les mensonges stupides de la vie)

rotations saturniennes dans les anneaux
des carreaux des annales charnelles

ripostes et revirements océaniques
en vagues et tourbillons arrondis par
les frictions de fiction et scissions dans les
fissions sur les fissures en sutures sur l'azur
craquelé de morsures et morcelé de rayures
surréalistes et liquides dans les limpides
briques dans les embrasures
des rictus de la lune diurne en éclats de citernes
et les mots les mots les mots

L' ECHANGE

713 MONT-ROYAL EST
TEL. : (514) 523-6389
WWW. LIBRAIRIELECHANGE. COM
TPS: 103422630RT0001
TVQ: 1001597929TQ0001

12/10/2017   00000
#0211   21:44:12   SERV. 01 000

LIVRES	T1 $5.C
MDSE ST	$5.C
T.P.S.	$0.
DEBIT	**$5. 2**

RELEVÉ DE TRANSACTION

L'ECHANGE
713 AVE MONT-ROYAL H2J1W7
MONTREAL   QC
22401331
GE2240133101

****   ACHAT   ****

10-12-2017   21:42:53
No compte ************7654   C
Compte   Chèque   Type carte DP
A0000002771010   Interac

No repère 15975
No facture 16854
No aut 5BEDA4   RRN 001473083

Total $5.25
(001) APPROUVÉE-MERCI

Conservez cette copie pour vos
dossiers
Copie client

l'alcool coule à flots,
ambroisie des idiots,
le sang des géants qui nourrissent les ruisseaux

les arabesques presque lestes dans les reins des restes
de moelles sèches jonchent les brèches embrasées
de pièces détachées d'horreurs stylisées parmi les
    croisées
sournoises et encloîtrées d'erreurs spontanées
dans le vide dévidé d'ovules ivres d'idées de givre

fragmentées en cristaux stellaires
dérives pulsatives en échos pulmonaires
et raciniennes racées de glaces blasphémées de traces
mélopées et flasques
dérobées et fantasques

si mes souhaits sont sous les soins de suaves rêves soyeux
j'oserais espérer savoir quand surgir de mes yeux
en regards transformés de matières en halos

2.

le vide des mots et
le vide de l'âme, craché sur mesure
par ses outils de guerre infâmes,

dévore l'ubiquité du silence dans
les cadres temporels

doxa du dérèglement
crime et châtiment des ressacs resplendissants
en échos stylistiques de simples puretés
pléonasmes prolifiques
de magnifiques et magnanimes dogmes anarchiques
plénitude et multiplicité
plissements dans les subtilités
déconstruction simultanée de ma fébrile poésie

les instants qui échappent au désir de les capturer
les mains trop grosses pour les porter, l'effeuillement
en effluves, l'effervescence de l'écume, les sols pluvieux
des planètes en orbite autour des galaxies en spirales
    infinies
dans les ténèbres les plus douillettes de l'azur endormi

3.

saison de ciels en florilèges fluorescents
reflets des bonheurs en gonds souillés de rouille
dans l'attente de la souffrance tendre et mouillée
saoule, somnambule obnubilé de bulles
abandon de l'être en insécables cellules

4.

l'œil du Cyclope béant dans son socle
deuil du myope géant dans ses loques
feuilles qui masquent nos prières sans époque

cancer apocalyptique dans une orgie de destruction
sème les sangs des sèmes qui s'aiment en scènes syncopées
retentissement des rebondissements en écailles éclatées
à la surface des miroirs, sur les reflets emprisonnés
échos de soupirs d'ombres anéanties

fantômes et spectres de lumières qui glissent entre
les garde-fous de mes paupières
pour se lancer dans l'abîme
de mon crâne

5.

à la fin du monde
tes ailes déployées, visqueuses
se détacheront.

la saveur de scories

(il y a toujours une sirène
qui chante la mort des naufragés)

le panorama avale les
tournures de phrase
et les métaphores métallurgiques
ont un arrière-goût fatidique
dans les falaises épiques
de mes phalanges à pic

creusons un trou immense
dans le champ de nos frénésies
réaction nucléaire dans les structures moléculaires
et la phrase continue n'en finit plus.
(hélas!)
l'amour
finit
et
on
continue!

la scénographie de nos séquences stéthoscopes
encadre la pornographie de nos silences misanthropes

à perte de vue
l'aveuglement s'étend
sur le seuil rocailleux de nos démences
mes poèmes ont la saveur de scories
qui calcinent les recoins
plus tendres de nos plis

la somme de notre être
composé de parcelles disloquées et fracturées
gigote avec ses arêtes acérées
dans le prisme qu'est le puzzle
de notre existence attisée

un arrière-goût de feu dans la bouche
un arrière-goût d'illusion dans la souche
de mes rêvasseries farouches

je suis une illusion car je suis un poète (réversibilité
    distraite)
à la langue de braise. les mots sont des étincelles de
    fraises
et je mange les fruits embrasés du brasier barbare de
    mon gosier asséché

ode au vide

pour Ovide

la solitude est un état d'esprit la solitude est un étau
  d'esprit la solitude est un étal d'esprit
la solitude est un état
la solitude est la solitude et
la solitude hait la solitude

elle est ostentatoire tels les enfants de l'encensoir

il est facile de se sentir seul
(il est facile de se sentir)
devant le néant
de la page blanche
et le silence d'une nuit propice
à une poésie qui fuit la cueillette

désir de
s'échapper
s'imaginer qu'on rejoint quelqu'un dans ses recoins
s'imaginer qu'on s'éloigne

s'imaginer qu'on se rapproche
s'imaginer que plus jamais on ne se reproche
la solitude qui ronge lentement et avec appétit
les lisses arêtes de nos conduits
qui
(dans la danse kaléidoscopique
des journées éphémères)
se remplissent de goudron
au lieu de sang
et à la place de plaisirs
laissent un engourdissement
qui freine la naissance
de tout sentiment

la solitude est une carapace trouée et vulnérable
la solitude est un regard périphérique dans un miroir
    sale
la solitude est la mélodie d'une berceuse quand on se
    ronge d'insomnie
la solitude est l'ouest le sud l'est et (surtout) le nord.
la solitude est une rancune contre la chair et l'engouement
    de l'esprit

la solitude est un ami fidèle
qui ne sait pas quand retourner chez lui

le cosmos sémiotique

pour Gilles Lacombe

l'âme s'étend sur la crête
du vaste néant
s'entoure de douceurs sidérales sillonnant
les lisières de lumière
courant du flux des gouttières
une pluie de stimuli coulant dans mes artères
pour irriguer la terre du jardin somnolent
et que je puisse cueillir ses fruits de signifiants
par un matin d'automne
plein de feuilles riantes
dispersées dans le vent
tels mes souvenirs d'enfant

l'éphémère est encore
l'idéal du moment
l'effervescence se dilue
dans de mornes phosphorescences
clairsemées parmi les nerfs acérés

qui projettent leurs signaux dans mon cerveau
en chute de mémoires périssables

je tâte une substance insaisissable
je bois à une source intarissable
qui remplit d'insomnie
de stridentes calomnies
bourrasques
de chuchotements infinis
ma coquille de sang flétrie

ravage entre les rouages
où glissent de lisses nuages
tissant la fresque
presque frêle du paysage pêle-mêle

kaléidoscope d'inaudibles mirages

et moi
l'homme sous le fracas du miroir de ciels
qui gît, rêvant entre les fissures éternelles
zébrant les ébauches d'émancipations brutes
d'un corps lacéré d'invasions qui chahutent
jusqu'aux dernières frontières de l'univers
les molécules d'azur structurant ma matière
dans les froids replis, paradis artificiels

moi, cet homme,
telle l'hirondelle,

s'envole vers l'inconnu
cherche à se voir
plus à poil que le nu

paradoxe
entre l'apogée de la souffrance
dialogues incertains de morceaux de conscience
juxtaposés en fragments de labyrinthes
cartographie froissée de poésies enceintes
et
la dysphorie blanche de pouvoir se créer
s'affirmer par la bouche d'une parole inondée
de couleurs électriques et de splendeurs stoïques
en géométrie mouvante de sphères océaniques
contenant dans leurs vagues
le cosmos sémiotique
vaste étendue de fleurs aux parfums oniriques

les blocs lego de l'éternité

1.

je dois déceler les différences
dans l'inconstance des espaces incongrus
comme un escaladeur qui cherche les fissures
pour s'agripper et continuer à grimper
sur le flanc des falaises
d'un malaise indéchiffrable

trouver l'insolite dans nos somnambulismes
continuer de chercher les défaillances du prisme
pour souligner les qualités omniprésentes
qui construisent les espaces négatifs

l'ubiquité belliqueuse des bouées enhoulées
dans l'océan noir tissé d'hélices et de spirales
échappe aux crocs de ma férocité animale

brouillard mauve dans mes prunelles fauves
électricité fournie par les couleurs d'aubes
palette de sensations
que j'excède à la simple caresse du vent

je suis don quichotte en guerre contre les géants de
   l'univers

je suis don juan qui attire les succubes métaphysiques
qui sous mon soleil cyclique
aspirent les rayons kaléidoscopiques
pour ne laisser qu'une unité, dépouillé
dans le bac des blocs lego de l'éternité

la grâce des mouvements délicieux des hélices de ma
   chair
frissonne comme une silencieuse prière dans mon
   cerveau reptilien

mon cortex
lourd, gauche,
inapte à saisir chaque subtilité
se laisse emporter par l'élan des racines

je dérape hors de l'univers de la raison
je suis irréel, magique dissolution

2.

dans une autre vie
je ne serais pas condamné
à l'étau de l'oubli

le coût de la vie diminue avec le taux de la mort qui
fleurit

si tu savais les brûlures.
si tu savais les morsures
du froid qui règne dans mes embrasures
dehors et dedans et et et dessus dessous, si dans…

trou béant du néant trouble
de mon cœur myope,
atrophié et misanthrope

les rêveurs rêvent un réel
déchargé de sa puissance
et de toutes ses hirondelles
ses lisières, ses détours,
pas de ciel ni aucun joug
ni de face ni de double
une façade, une performance,
une espèce de sale transe
qui s'insinue en nos foules
en nos cœurs
en nos moules

(fbjabfoaifbafibjafoibjaofibjoreijbaorijaodfibjafoijbafij-
bafibjafiobj !!!?)

rêver au réel

les larves s'égosillent sur le sol épileptique
et les feuilles s'éparpillent en piliers
ferroviaires sur la plage plastique.
fiction ascétique qui dégénère
sous une supervision superficielle

solfège du malaise
fait son ascension
vers (le ciel) la dernière octave
d'une gamme atonale

se contentant du contenant
et non de la substance
la contenance de nos paroles
pèle l'émail de mes phalanges
qui mastiquent
les morceaux problématiques
d'une vérité mûre et crue

sans issue

je chuchote des chimères
avec du mal
et ma langue lacérée
se tourne se détourne et retourne
sur les thèmes qui tapissent mes temples atemporels

le rêveur rêve au réel
sa faim de vie
éclose en lui
chavire sous nos cieux
se déploie sous nos yeux
hachurés de tristesses
indicibles promesses
qui nous forcent à croire
qu'on ne sera jamais vieux
que nous vivrons toujours.

un frisson insolite nous fusionne, me parcourt.

dans mes rêves de folies et de tendres vérités, dans
mes espoirs fondés sur des vœux calcinés, dans mes
amours brisés, mes paroles calomniées, mes esquisses
tronquées, mes dessins barbouillés, mes poèmes
lacérés, mes romans incendiés, le théâtre de ma vie
qui se joue sans fausser, les mélodies malicieuses qui
s'échappent à mon gré...
dans ces réalités de rêves, ces vérités en trêve, je suis
libre.

ma poursuite effrénée

à Rickee

nature, fébrile progéniture, dans
l'âme est l'espace entre césures,
noires caresses de l'instinct dans les ruines et masures
ossements fracassés de fragiles carcasses
déchirées à la surface de l'eau,
plateaux juxtaposés d'étaux qui répandent les pelures
de sinistres moisissures pourfendent les mesures
des sentiers chargés de sèmes craquellent mes armures.

distrait par les abcès abstraits d'une conscience parfaite
muette sous les sifflets et ricochets de regrets,
la voix du passé qui égratigne la paix
scelle mes démons dans leurs impuissants reflets

avalanche de sens qui étanche la soif d'inconstance
cause une nausée de frissons qui ravage la croûte de
fange
surplombant une rivière nourrie par le sang d'anges
paradoxe (plus habile qu'autrefois)

entre une intoxication d'amorces
d'amours qui forcent les murs de velours
qui emprisonnent les noces de torses rongés par des
    ripostes
de parasites qui rampent entre les failles de mon
écorce
créatures difformes nées d'une folie précoce
et
le goût métallique de la vie
qui explose en doux chaos et supplie
le monde de se laisser avaler
qui souhaiterait maîtriser
une plus noble destinée

ce poème est un échantillon, un fragment, une
    connotation
qui se rapporte à un sujet de douces mutilations
meurtre par poisons infusés dans ma toison d'or
qui tombe en lanières maladives de mon corps

je ponds des œufs de ciment, qui résistent au présent
des tourniquets pour plaies creusées par désirs
émanant
de la sagacité de l'éther, qui, par voluptés, espère
retrouver à sa guise l'équilibre de l'univers
et qui par son absence complète de matière
se transfuse dans mes mots, flots de désespérantes
    prières

éteints, les liquides crachats éparpillés
de mes dernières prophéties dans leur noirceur
souillées
chastes aveux déchirés par de preux chevaliers
qui tentent d'artificier la substance de mes idées
je meurs, pleure, contagieux, abîmé
mes turbulences agiles sautent entre de frêles réalités
qui ricanent entre les ruptures de ma poursuite
effrénée.

müller dans la sève

pour Sylvain Schryburt

paradoxe
la modernité contient
le potentiel de sa propre déchéance
un nouveau paradigme de la conscience
pour former le steak haché englouti de la substance
qui tisse l'existence
recherche d'un nouveau *golden* numéro, s'ajoutant aux
folies précédentes

nouveau
nouveau
nouveau nouveau
nouveau nouveau nouveau
nouveau nouveau nouveau nouveau nouveau
nouveaunouveaunouveaunouveaunouveaunouveaunouveaunouveau
new new new new new new new new new new new new new new
nouveaunouveaunouveaunouveaunouveaunouveau nouveaunouveau
nouveau nouveau nouveau nouveau nouveau
nouveau nouveau nouveau
nouveau nouveau
nouveau
nouveau

(1, 1, 2, 3, 5, 8, 13, 8, 5, 3, 2, 1, 1)
spirale fracturée
cicatrices fractales
sur les ailes
d'un papillon
réfracté dans le reflet
de mon visage
ad vitam aeternam
dans la flaque de sang
qui compose le néant
de ma vue
je suis œdipe
je suis hamlet
j'étais hamlet
je suis ophélie
travestie violée déchirée ressuscitée
en cycles
müller dans la sève
de mes larmes hachurées
espoirs refoulés
et sans trêve

dissolution des solides
dans les flots d'acides limpides
le long des vertèbres synaptiques
qui chuchotent leur présence
leur inconstance suppurante

une trahison
de l'être par sa raison
subjectivité assujettie
au fléau de l'illusion
aux maux béants des fantômes
géants, gisant dans l'atome

fœtus de constellations névrosées

saillie entre les nœuds
espace
brisé
entre les paupières du feu
hurlant
en moi

les archanges noirs fracassés sur les rivages
témoignent de leur sang éparpillé dans l'onde
la tristesse féconde de stériles rages
envers la douleur que la beauté seconde

structure qui bout dans la brume vaseuse
les cités étouffées par leurs sales tentacules
leurs ventouses avares d'un affreux crépuscule
asphyxient les cris d'une complaisance honteuse

qui s'éveille, dans son lit, dans son trou, vaniteuse,
artificielle et prise en de vieux engrenages,
annihilation de paradisiaques creux,

où elle se tapit dans ses loques de feu
cette vorace nature mange mon visage
change ma poésie en prophétie des dieux

qui du gouffre inconscient me fixent dans les yeux

LA LICORNE ROSE

À ma mère
qui m'a transmis sa force
et sa belle folie

besoin de guérir

la beauté porte
la dissonance
de ses nuances
par-dessus
les tranchées
et les contrées
de nos trachées-artères

la viscosité de nos sangs
recouvre le seuil
de nos terres avides

la semence de nos
complaisances se rompt
dans l'éclosion
de ses bourgeons stériles

et les tiges
de nos arbres
croulent
sous le poids des avions

photosynthèse
ne peut avaler
sans grand malaise
les éclairs verts
des villes marécages
où la fange
de nos cultures
bactériennes
croît en silence

(je ne crois plus au silence)

besoin de soleil
de chaleur
de vastes espaces
où le vent souffle
en arborescence de nuages
qui respirent l'innocence
formée par
les délicates lumières
qui tissent
la toile d'araignée

perceptuelle
où je me perds.

besoin d'amour
de multiples définitions

de l'amour, de multiples
canaux pour pouvoir exorciser
le besoin fondamental
charnel et viscéral
d'une solitude conditionnée
et inconditionnelle.

besoin de répit
d'une impression de repos
besoin de soulager ma douleur
avec la médecine de la poésie
besoin de coucher avec la poésie
besoin de créer
de la beauté
dans l'univers
pour oublier
l'aile fracturée
de ma colère.
pour oublier
la futilité
de nos civières.

besoin de me rappeler pourquoi j'écris,

besoin de traverser
l'écran insondable
de nettoyer chacune

des taches de cendre et de goudron
entre les dalles de mes plaques tectoniques.

besoin d'oublier pour guérir
besoin de ressentir pour oublier
besoin de survivre pour ressentir
besoin de guérir pour survivre.

dans mes globules de givre

dans l'espace
entre la vie et la mort
une étoile éclate

un souffle brime les parois de l'abîme
une haleine sulfurique de soif ruinée

rugueuse, ma langue,
un désert de papier sablé,
ne laisse aucune place
aux flots capillaires
ni aux effluves papillaires
que respirent les spires des zéphyrs de fer
tours spiralées toussotées dans mes atomes
ils émanent du gouffre blessé
mugissant leur torpeur aveugle
dans l'étau du silence.

je ne sais pas nommer le temps de verbe où j'existe
imparfaite mort
vivant au conditionnel présent

la pression qui s'exerce
entre mon crâne
et ma cervelle
mutile mes pensées
en leur donnant vie

(hallucinations)
gustatives olfactives facultatives
dans l'ozone des mémoires
inscrites dans mes pores
archivées dans les annales recroquevillées de mon corps

voyage dans les eaux
du trou noir
où je me noie avec toi

ébloui par l'infection
qui contamine l'inflexion
entre l'amour et la raison

irradié d'une souffrance
telle que ma conscience
ne peut la définir

une soif ruinée de vivre
tapie dans mes globules de givre.

collé derrière la cellophane

l'instant défile en sifflant et s'infiltre dans mes rangs
démolissant les murs
et bien sûr les sutures
qui défendaient aux plaies une nouvelle ouverture

(guérison par osmose grâce au silence des choses)

oxygène dans le cerveau
se croire hors de l'étau

sentir la rassurante caresse
d'une tendre promesse
à soi-même
ne plus craindre de beautés étrangères et
ostracisées par leur nostalgie brouillée

vous savez
je ne connaissais pas mes limites
avant d'atteindre l'âge adulte

ayant perdu mes ailes
avec l'innocence de mes pensées
je construisis des navires
pour naviguer dans ma frénésie
et vivre collé derrière la cellophane
préservation de moi-même
en canne

la surface transforme les ténèbres en lumières diaphanes

les vrais de vrais

folie n'est pas déraison,
mais foudroyante lucidité
Bérénice Einberg

désordre confortable
dans le potentiel malléable
de chaque instant consommé

les hallucinations
me hantent
me caressent
me bercent
dans les soubresauts aquatiques
de ma démence euphorique
en dépit de sa détérioration.

par contre

les vrais de vrais
fous ne savent pas

qu'ils sont libres
de toi moi et soi.

je m'assieds sur
la crête de l'horizon
en fixant attentivement
les minuscules sons
qui s'échappent
de la friction
entre le rêve et le réel

le masque est neutre
et le crâne aquarium
où nagent les racines
de l'arborescence de la parole
libère et recolle
les fragments du kaléidoscope
pour illuminer les couleurs
à travers la brume épaisse
qui, malgré elles,
s'étiolent puis disparaissent

folie. folies

lacération latérale
dans le flanc
animal.
animaux.
cordes vocales dans un étau.
larmes garnies de flammes joyaux.
joyeuses et jouissantes et souffrantes de démence creuse

l'euphorie susurre mon nom
en syllabes affreuses

Scylla et Ulysse entre les Rocheuses

fuir la nature de peur qu'elle nous rattrape,
de peur que la maladie nous attrape.

j'ai soudé mon âme à sa chaise

icebergs illuminés lumières de falaises

océans cachés par les rochers de mes paupières.

je me suis noyé dans le ciel
des nuages frêles cachent
les constellations mêlées aux ions

nous avons abandonné nos anges
aux chaises électriques
de notre conscience
carburée à l'électricité statique

tonnerre, éclair

silence subtil dans l'ombrage d'une silhouette ailée de
verre teint.

vertèbres arrachées et jubilations crachées
salauds solubles salamandres.
dans leur laideur scellés.
leurs selles souillent
sa blancheur mais
n'atteignent pas sa terreur.

et

l'ange sourit.
ils passent sa carcasse dans le broyeur
pour se nourrir de sa tendre chair.
anthropophagie délicieusement angélique

en dévorant, les salamandres ne peuvent contenir leur
voracité
et se font un plaisir de s'autodétruire à grandes gorgées
de néant

déchiqueté
l'ange retourne chez lui.
sèche son corps sous une douche de plâtre
et va se coucher. il
se réveille et
se rendort. il
se réveille en rêvant
du froid qu'il y a dehors.

la nuit noire siphonne
la lumière des étoiles

folie. folies
feuillages et
cueillette de fruits
en reflets sur le bord
de l'eau. limpides.
je me faufile dans un
vide secret. il habite
les recoins les plus laids
de ma tête en lambeaux.

ici

sur la place du marché
on vend des âmes souillées
on vend de vieux souliers
à qui veut bien les porter

les brèches
s'ouvrent
dans l'asphalte
leurs courbes abrégées
par détresses asphyxiées
dérapent du pont
en flèche. s'écrasent
sur les sifflements
obscurs et
obstacles
aux murmures clandestins
de chandelles allumées
par paroles prières visées
vers un ciel dénué
de nuages et
d'étoiles filantes

pour une euphorie
saillante et éphémère

tel est le goût amer et tiède
du sang jaillissant des
plaies de la plèbe

grouillant d'un supplice de fer
ta chair se démène et se
dilapide devant
ton regard absent.

le temps applique
son onguent sur
tes brûlures

tu constates que
ton sang précoce
te trahit
jusqu'à la moelle épinière
de tes fragments de rêves

(la douleur ne cède pas de trêve)

les dents de ces
fragments s'insinuent
dans les fissures
latérales de ma

colonne vertébrale
qui s'écroule sous
le poids de mon crâne
difforme et
saturé d'indifférence.

les cassures sur
tes ongles raclent
les morsures de
l'oracle de notre
amour damné
dévoré de brutale
souffrance impassible
qui brusque
jusqu'aux muscles
les plus dociles.

rupture entre la
douce solitude
d'espaces souterrains
et la multitude de ses chemins

elles se fondent l'une
dans l'autre pour
te confondre et
tu es déjà à
la merci de
leur oubli.

ici.
je suis.
(tu es si laid, nous sommes vos êtres)
ils sont dilués
en train de perdre
leur substance
noyée dans un déluge de sens.

la licorne rose

la licorne rose te regarde
avec démence et
indécence.

on dirait qu'un point sur
ton ventre te démange. tu
grattes pour te
soulager, mais
plus tu grattes
plus il te démange.
donc tu continues
à gratter. à travers
le poil. à travers
la chair. à travers
le fer qui garde
ton squelette
cohérent.
cela continue de
te démanger mais
tu n'as plus faim
de gratter.

tu es en pièces détachées.
(autodestruction.)

la licorne rose
t'arrache la tête
avec son sourire
bienveillant.
elle pénètre ton
être inconsciemment.
elle sait ce qui te
chatouille la prostate.
elle sait ce qui te
serre la cravate.
elle sait tout sur toi
elle veut tout de toi
elle veut te dévorer
que tu sois vieux pet
ou jeune pisse.

la licorne rose vole
dans un ciel Crayola
tissant sa toile de
sifflements larmoyants
et carnivores au bord
de la mort circonflexe
et cérébrale.

ses ailes de tôle
et de magma cousu
de tissu pyjama
battent l'air avec
leur masse lourde
et son torse éventré
laisse couler ses
intestins couleur
gomme balloune

mais ce sont ses yeux
qui offrent le spectacle
le plus désolant
on dirait que leur lueur
évoque des milliards
de dents stellaires
formées de nuages
de diamants acérés
qui découpent les
planètes et dévorent
les têtes et arrachent les
nouveau-nés
des sous-sols humides
de cliniques spécialisées
en avortements ratés

son rire ressemble à
une crise épileptique

son sourire se détache
de ses lèvres anorexiques

ses chuchotements
se faufilent
sous tes paupières
entre tes cils
et pénètrent tes rétines
pour les saccager
d'urine sulfurique

elle t'aveugle
et te ronge le
visage pendant
que tu hurles
d'un rire couvert de
paroles incohérentes.

et tu te réveilles
en babioles
comme au matin
d'un viol.

Jack

il regarde par la fenêtre la lumière brisée par les cadres mal placés de cette foutue maison.

il se dit que ce bordel n'en vaut plus la peine. il ramasse sa carabine et sort. il y a deux véhicules stationnés dans la rue. un gris et un noir. il commence à tirer sur les gens qui conduisent les autos qui passent en étant certain qu'ils ne peuvent pas l'apercevoir ce serait dommage de ne pouvoir finir le travail commencé il recharge sa carabine et marche dans la place publique. personne ne le remarque jusqu'à ce qu'il liquide une octogénaire en fauteuil roulant qui s'avance trop lentement. les gens commencent à hurler

chaos
musique

ses oreilles supportent à peine ce vacarme. il l'harmonise avec deux cartouches. l'une se plante dans le crâne d'une petite fille de six ans et l'autre dans le ventre de sa mère enceinte. il rit avec enthousiasme. aucun policier ne l'arrête. ils regardent. il commence à comprendre ce qu'il est en train de faire et il se demande d'où vient cette envie de détruire. il se dit qu'il ne pourrait en être autrement et que ça fait beaucoup trop longtemps qu'il attend toute sa vie il a attendu pour voir ce moment. il cache sa face derrière le viseur de sa carabine et il tire encore et encore aveuglé par l'adrénaline et l'euphorie de mettre fin à toutes ces vies et d'être celui qui qui qui qui qui.

Jack se réveille dans son sous-sol miteux rempli de lumière brisée qui traverse les cadres de ses fenêtres mal placées dans cette foutue maison et il se dit qu'il en a assez de ce foutu bordel donc il prend un couteau et sort dehors il est deux heures trente-trois et il fait très froid plusieurs piétons pourraient lui servir de cible il en choisit un par hasard et le taille en pièces dans une ruelle. l'autre n'a même pas la force de hurler parce que lui aussi est tanné du foutu bordel de la réalité. Jack Jack Jack se réveille dans son grenier poussiéreux et commence à manger les rats qu'il a chassés la nuit passée les pièces taillées de ses poupées lui servent de sel pour ses saletés et il refuse de croire que cette fille n'est pas en ivoire mais bien en chair. Jack se réveille et se réveille encore et se rendort tout en se réveillant et il prend son temps avec le corps de sa bien-aimée. Jack s'assoit sur son canapé ouvre la télé et commence à regarder

il se sent mieux.
sa maison est en feu.

il ne ressent pas la chaleur qui lui lèche la peau et
qui fait bouillir ses yeux. tout ce qu'il ressent c'est
un sourire étiré sur des lèvres qui ne sont plus les
siennes, mais bel et bien celles d'un démon banal.
Jack se réveille et voit des chacals déchiqueter sa
carcasse.
des porcs le mangent tout rond.
Jacques se réveille et soudainement il constate qu'il
est en classe et qu'il doit écrire son examen de psycho-
logie. le professeur rit mais Jack ne rit pas.
il se tire une balle deux jours plus tard
et c'est la fin de notre histoire

mal de vivre

sons de souffles secs
coupures
abruptes et fluides
dénichant le fragile
volume tactile
de ma gorge
serrée
qui se resserre et libère
mes paroles

il me faudrait une
langue pour parler
une absence pour avoir
une raison pour avoir
une idée pour savoir
où aller avec ce fil
de frissons forcés.

l'odeur du cuivre
embrouille le salon
d'asphyxie

le nerf se tend
les mains se tendent
se retrouvent
sur les visages lascifs
des mariées cyborgs
attendant dans la file
pour sauter dans le volcan

elles tendent leurs
ailes. elles tentent leur
asile, leur fantasmes
incohérents dans l'auberge
de nos chairs. nous implorons
un ciel noirci par des failles
atomiques. aveugles et

hurlant pour de la pitié pitié pitié
pour combattre l'objectivité d'une
précision nucléaire.
nos familles réunies
dans un dernier instant
de vie

souffrances insoutenables
mais partagées
aléatoirement
comme ces fusillades
médiatisées
comme ces parades de
miroirs macabres

à la télé

ses griffes
rapaces
creusent
son nid vorace
dans le creux
de mon crâne

j'ai.
j'ai un
j'ai un mal.
j'ai un mal de

j'ai un mal de dents
qui ne guérira
qu'en les arrachant
j'ai un mal de cœur
qui ne guérira
qu'en me l'arrachant
encore et encore
et encore et encore
et encore et encore
et encore
pour des siècles
et des siècles

béni soit-il
amen.

les cieux crevés

debout devant le miroir, un visage livide

la pluie est douce et douche essuie
sa crasse boueuse sur le tapis
sur la plage rance sous la page blanche

faire face à la neige évadée des nuages
pour se déflorer entre les semences de
la cellule souche de l'irréalité

je me réveille. j'oublie mes rêves

(condensation sur thermomètres gelés)

coagulation dans le regard des cieux crevés
nuque engourdie tuque enfouie
sous les toiles d'araignées de nos parapluies

on se dévore
pour découvrir que la réponse est simple
nous sommes une société apprivoisée
par des institutions de non-sens
enfermées dans nos sens.

l'ascension vers la perfection
laisse tout le monde en arrière, par excellence.

les cieux crevés aveugles
notre spiritualité athée qui beugle
en chantonnant des hymnes qui
glorifient le gaspillage de la beauté
durant la crise économique de la bourse de nos idées.

chat dans la gorge.
je l'ai avalé pour nettoyer la suie qui s'y colle quand le
foyer de mes entrailles brûle.

courant d'air
lucides lumières
à travers une fenêtre cousue de toutes pièces
dans la maison de ma raison

c'est le réveil de l'émerveillement qui habite notre sang

impassibles,
les cieux se sont laissé languir dans leurs piscines
    d'anguilles,

noyés par pleurs diffusés, translucides, limpides et stériles
ils se sont crevés. cruelle éternité d'éveil aveuglé,

le soleil couchant
est rouge vert jaune bleu
je me dis qu'il faut des yeux
pour le voir, mais je me dis que
c'est faux et que je suis quand même capable
de l'apercevoir dans mes rêves ou encore quand
je ferme l'espace entre mes paupières et que finalement
tout ça n'égale rien sauf que je peux dire que maintenant
    je sais de quoi parler.
et toutes les petites étoiles qui pendent dans leurs niches
    dans le ciel
simultanément décousues de ma réalité provisoire
virtuellement altérée par conditionnement
aléatoire et entièrement relatif au
poste de télévision dans
lequel ta raison
se regarde
pendant qu'elle se détériore…

sont très brillantes.
et très belles.

silence qui chuchote en mon absence.

LA MAISON DE MON CORPS

Automne

Sur la crête oscillant entre ténèbres et lumière, au bord de l'abîme, avant d'être dévorées par les crocs glaciaux de l'inévitable, les tendres joies du printemps et les torrides passions de l'été revêtent leurs robes nourries de flammes tissées d'un fier désespoir.

Parmi les dépouilles éclatantes des cohortes de feuilles mortes, l'écume de tendres souvenirs remue un sol recroquevillé contre le frimas redoutable du déclin. L'aube est un tendre souvenir au zénith de la vie, et l'aurore brûlante comme une forge vivante, habitée d'une panoplie de songes, ronge le ciel de ses étincelantes larmes de soulagement.

Enfin la fin de la faim de vivre. Les hurlements et chuchotements glauques et rauques des vents d'un vide dévidant ses tripes stériles dans l'accouchement d'un sommeil opaque bercent calmement l'éveil des vivants. Orages frigorigènes surplombant les orange étrangetés tapissées dans la beauté d'une flamme de chandelle épuisée jusqu'au dernier sanglot de cire sanglant. Il en faut peu pour apprécier le cri de guerre de notre mère face à l'amère conclusion de ses mystères, face au silence impuissant des flots qui figent telle la sève dans sa tige.

Un simple souffle suffit pour dévêtir les arbres de leurs armures tissées de langues. Le temps arrache leur chair pour ne laisser que des indices de vie, squelettes monolithiques chargés de pluies boréales. La lumière traverse les prismes parmi les branches et des reflets d'arc-en-ciel emprisonnés effleurent ces rayons de lumière de leurs voix kaléidoscopiques. Les dernières feuilles restent bravement sur les branches, leurs dernières couleurs étiolées par la mue. La nature pèle sous la grêle du temps.

Les subtilités dissimulées de ces effluves colorés ne peuvent rien contre le règne de la neige décharnée. Même le soleil, scellé en son socle, est soumis à la nuit infernale et à ses voraces bourrasques de goudron.

La Lune nous fixe d'une placidité moqueuse et dérangée, comme l'œil du fantôme de la nature par-dessus le cimetière de nos bonheurs en arborescences d'éclosions sous l'implosion des bourgeons mort-nés.

Il ne reste plus qu'à attendre la révolution de la planète entière. Son souffle de vie repose dans sa tombe de frimas. Or, malgré ça, l'automne est un signe d'espoir, orné de rires paisibles avant sa chute.

Durant son trajet vers le fond du gouffre, nous voyons un dernier sourire confiant et complice de notre mère à ses enfants pour les rassurer, car un jour, elle reviendra.

la maison de mon corps

lentement, je guéris.

lentement, l'infection se disperse entre les blessures, et
il n'y a plus que la flamme
qui lèche les césures entre peau et chair. Une flamme
bleue et froide, qui longe les arêtes recouvertes de
muscles grelottants, percés de ronces hideuses et
égouttant leur vase limpide sur les dalles frémissantes.

lentement, tout cela disparaît, et je souris.

une lumière domine tous les espaces possibles tapissés
dans l'ombre frigide d'inconnus.

je ressens à peine le filtre entre ma raison et ses perceptions
qui se détériorent, les arêtes de mes contraintes qui
s'évanouissent, à part un Tic, Tic, Tic qui menace de
rompre les dernières fondations et de ne laisser que
les trous entre le bois, le plâtre et les doigts.

mon corps est une maison dans laquelle j'erre, seul, contemplant les tableaux flous de mémoires mal construites, les aquariums contenant de vieilles blessures qui flottent, sans consistance pour relater leurs origines; je les nourris, petits poissons, petits poisons, dans une eau visqueuse et trouble que je devrais remplacer.

mais je ne m'en préoccupe pas.

j'entre en titubant allègrement dans toutes les salles et les murs sont peints de couleurs ternes et sont recouverts de papier journal, bleu, brun, rose. les murs ne portent ni peintures ni cadres, aucun meuble utilitaire. le tapis est déchiré et taché. (j'aimerais avoir un plancher de bois franc) mais tout ce que je peux me permettre, c'est un tapis troué de mensonges qui me dévisage avec ses yeux de requin.

toutes les chambres de ma maison sont différentes, par contre.
c'est l'atmosphère que l'on doit parcourir

il y a ma chambre à coucher, qui n'a qu'un lit, un dactylographe, une passoire, une guitare désaccordée, des bouquins déchirés, des cartables avec des photos fades de pièces de théâtre, et une télé dans un coin obscur qui parasite calmement.

ma cuisine est sale, pleine de bouteilles vides et de très peu de nourriture. il y a des trous dans les murs, la table est rongée de rouille, les allées sont glissantes, et je remplis avec pas mal n'importe quoi le lavabo, qui miaule timidement dans un coin. il y a des contenants de pilules qui traînent, le lave-vaisselle déborde, le frigidaire mugit, les lumières sont basses, il n'y a pas de feu.

mon salon est dénué de meubles, possède un foyer recouvert de suie où passent des bourrasques tièdes à chaque instant. la chaleur est toujours au maximum, donc je ne prends froid que si je transpire trop ou m'approche du foyer.

les fenêtres énormes s'étirent à perte de vue. leur surface polie s'ouvre sur un monde brûlé et sombre. le soleil se cache derrière des nuages gris, mais parsème de clarté le ciel asphyxié. il pleut des cendres. au-delà des rues et des bâtiments, je vois les rivages rayonnants de l'horizon. il est impossible de voir claire-ment ce qui brille, mais je le sens, et c'est assez. un jour je pourrai m'échapper de ses gonds et me rendre vers lui.

«oui, un jour» (disait-il)

le grenier est la chambre la plus remplie de ma maison. c'est en entrant ici que je retrouve mes vieux poèmes, de vieux albums photos, des choses qui m'inspirent. par contre, la noirceur du grenier me terrifie. je ne peux pas y rester longtemps, même si c'est l'endroit où je suis le plus inspiré. je suis seul, dans le calme, et la salle est bien isolée, donc silencieuse. mais je ne peux pas y rester trop longtemps, car je commence à me sentir claustrophobe, j'aperçois les toiles d'araignées qui recouvrent tout, et j'entends le vent, qui siffle malgré l'isolation, et je dois absolument retrouver la lumière.

je contemple ma maison, beaucoup trop grande pour une seule personne, beaucoup trop vide, et je constate que je ne peux pas l'entretenir.

je suis avalé, enfoui, écrasé par le poids aérien de tous mes petits riens sans importance ni substance. mes petites plaies, les minuscules bouchées qui s'accumulent dans les ulcères du ventre de la vie, vorace à l'infini, mordillent en leur absence mes veines et mes canaux sanguins.

la lumière colle à la fenêtre avant d'y pénétrer, ce qui lui donne une lourdeur dissimulée entre les nuages de poussière que mes pas soulèvent. je m'égare dans le lieu qui m'est le plus familier, entre les ombres et leurs soupirs, entre les voix et les rires, seul, aveugle.

ma maison est une créature avec plusieurs couches protectrices, plusieurs carapaces hétérogènes et incongrues qui forment une barricade assez difficile à rénover de l'intérieur. les morceaux d'enceintes et de murs, les portes verrouillées, les fenêtres drapées, les couloirs labyrinthiques, amassés au cours d'une construction lente et ardue, m'emprisonnent dans une forteresse vivante. je me débats pour donner à mon âme un peu d'amour, de fraîcheur, pour la rassasier. mais je me sens faner, faner avec le temps qui glisse entre les plaques et les écailles, qui pousse un caillou dans l'amas précaire de calcaire strident pour causer des avalanches fertiles de rage, qui consume le peu de verdure qui me reste sur le cœur.

il était une fois un garçon qui croyait sincèrement que tout était possible, que les astres étaient atteignables du bout des doigts de pied, si on voulait vraiment les attraper. les comètes n'avaient point de secrets pour lui, les galaxies était des toiles d'araignées tissées entre les points cardinaux qui séparaient le ciel en quatre carrés égaux. il comprenait le fonctionnement d'immenses objets dans le vide de l'espace, tout comme les plus infimes frétillements des particules dans la matière. il voyait les auras de ses camarades de classe, pouvait saisir l'énergie des autres et l'étoffer, l'agrandir, et y puiser. il adorait les histoires, les lisait sans cesse, et il trouva, avec les mots, le moyen de rejoindre tout l'univers en un seul instant. son compagnon de voyage était Andromède, la plus belle des galaxies qui, quand elle laissait voir son squelette à nu sur la tapisserie de la nuit, lui touchait le bout des lèvres. le petit garçon l'implorait de lui livrer sa clarté, offrande suprême à la déesse des coordonnées et voisine de la spirale dont il était le centre. son monde, là où il était roi de toutes les journées, de tous les secrets, savoureusement omnipotent, s'est estompé quand il a vu les choses obscures qui et que hantent les êtres, réalités abjectes nous conditionnant à oublier notre émerveillement, qui éteignent le feu de nos étoiles, qui nous mettent dans des moules sans nous transformer en perles. Ce jour-là, Andromède disparut dans le néant, pour ne devenir qu'un nuage de lumière abstraite dans le ciel. le garçon, sur la voie de l'insolation de l'adolescence. il sentait quelque chose remuer dans les bas-fonds de son cœur, de son être, sans savoir ce que c'était, ce jour-là…

et tout à coup

arriva le poil, avec les démangeaisons, la masturbation, les os qui dépassent leur socle, les eaux qui s'accumulent dans nos crânes et nous suffoquent. le pullulement de la peau, la corruption du timbre de la voix,

et la constatation que tout ce qui nous composait
n'était qu'illusion, un sortilège lancé par nos parents
pour mieux nous guider vers un avenir idéal, une
société blasée et indifférente aux danses sidérales, et
notre place au sein de cette illusion…

arriva l'école, la supposément vraie, avec ses attentes,
ses responsabilités et ses blessures sous la peau lisse
autrefois, vive autrefois…

mais

arrivèrent les amis, les *partys*, les insécurités liées au
manque d'argent, de beau linge, de beaux gadgets
électroniques, de belles blagues, de toujours être
beau tout le temps devant
tout le monde
et soi
arrivèrent les cercles sociaux cruels pour tous ceux qui
leur appartiennent, car ils veulent conserver leurs
domaines, enchaînés et dépendants de l'approbation
de leurs pairs, de leurs parents, de leurs mentors, de
leurs menteurs, aussi dépravés qu'eux, aussi incons-
cients qu'eux (cercles encore plus cruels pour ceux
qui n'y sont pas, seuls et exclus dans le froid d'une
tristesse qui grandit, d'une maladresse qui s'infiltre
dans chaque fibre de sa langue et de son miroir intérieur, de son esprit, qui devient une sourde colère,

une révolte contre la vie, alimentée par un espace négatif où devraient se trouver les caressantes certitudes de l'amour).

arrivèrent les pressions sociales des échappatoires trous noirs qui deviennent insoutenables, l'accident de l'expérience, et puis stress, et puis apathie, et puis désirs destructeurs, lacs d'eaux visqueuses où les baigneurs s'enlisent, fumées asphyxiantes de sous-sols sales, de forêts pleines de moustiques, de rues pleines de sel qui rongent les souliers l'hiver, l'été une trêve contre tous ces supplices, où les jeunes se jettent joyeusement dans les mêmes précipices. l'oubli et l'avarice.

arriva une conscience artistique inadéquate d'après des standards établis par des siècles d'excellence académique, distante et polémique. arriva une insécurité immense, la découverte de toutes sortes de langages sans paroles qui parlent mille fois plus que sa propre langue abîmée dans une ville abîmée sur une planète abîmée.

arriva la vie, comme un coup de fouet, sur la douce nuque d'enfants qu'on a été autrefois.

et le temps avance sans cligner des yeux.

la nostalgie sentie en regardant ses balançoires en automne, près du rocher sur lequel on grimpait puis, plus tard, la forêt dans laquelle on se perdit pour se chuchoter des mots d'amant raté, des rires d'amis *fuckés*, des *trips* d'ados complètement bousillés sur n'importe quel poison qu'on pouvait se foutre dans le corps, des contemplations d'adultes dans un corps qui ne savait saisir la vérité dans ces immondices, le désir secret d'être guidé par ses parents sans montrer la souffrance terrible qui nous torture.

arriva l'hiver, le vrai, celui du Nord, qui lacère le bonheur avec la peau, qui amène le désir de chaleur, le goût d'un corps près du sien dans les fourrures. arriva la découverte de l'attente de l'été, le dégoût et plaisir simultané de la boue du printemps qui annonce la désinvolture, la disjonction entre l'école et le plaisir qu'on obtient à rôder dans les parcs louches avec nos amis louches et notre gueule louche. Mon ami Érik qui ne me reconnaît plus, mon ami que je jalouse à cause de tous ses amis, et qui sent ma jalousie, et qui s'éloigne de moi, et moi qui le supplie des yeux : *ne m'abandonne pas, je suis seul ici, ne m'abandonne pas, j'ai peur* (murmurait mon regard le jour que j'ai su qu'il s'était déjà abandonné lui-même, le cœur criblé de trous, les yeux recouverts de brume, comme moi, comme tous les fantômes d'enfants dans nos corps de géants, seuls dans les bourrasques intérieures et les yeux de l'ouragan).

arrivèrent les amours de jeunesse vouées à l'échec,
toujours plus douloureuses les unes que les autres,
et souvent sans douleur, sans bonheur ni rien.

arriva la contemplation adulte dans un corps qui ne
sait saisir la vérité dans toutes ces immondices.
aujourd'hui souillée par la lumière qui traverse le
filtre délavé et tordu par des fantômes noyés dans des
rivières d'alcool et de fumée verdâtre, des nuages de
poudre et des montagnes de pilules. Mes souvenirs
autrefois limpides sont fracturés, ressemblent à une
aile de papillon qui n'a pas pu sortir assez vite de son
cocon.

la peinture sur les murs s'effrite, les couloirs sont
labyrinthiques, et souvent ils ne mènent qu'à des
ténèbres profondes et impitoyables.

je boite parmi les boîtes, les marches et les morceaux
de tapis troué d'une maison qui n'est quasiment pas
la mienne, mais dont je connais tous les recoins,
presque tous les défauts et les secrets. la porte
fermée, qui mène dehors, en bois franc, est bien
polie et invitante, mais je ne peux pas l'ouvrir.

je ne pourrais sortir qu'un seul jour, et celui-ci est bien
loin…

c'est par les fenêtres que j'espère m'échapper, en
atteignant les contrées et vallées calcinées sur le seuil
de l'horizon brillant, qui porte fièrement ses lueurs,
et cette masse difforme surpasse toute beauté.

Andromède est vivante dans mon grenier, attachée sur
une photographie du ciel, dans un album photos de
croyances et d'espoirs fades.

oui, les murs sont troués, et les couleurs sont ternies,
ma maison ne respire que très peu la vie. oui, il faut
meubler ma chambre, vider le grenier et mettre ces
choses dans le salon, nettoyer la cuisine et la remplir
de bonne choses, recycler les bouteilles.

ouvrir les fenêtres, et s'envoler au-delà de cette chair
toisée.

j'ai de la nouvelle peinture pour mes murs,
et sa couleur est de la poésie.

TABLE DES MATIÈRES

LA LICORNE ROSE 83

LA MAISON DE MON CORPS 117

Les Éditions L'Interligne
261, chemin de Montréal, bureau 310
Ottawa (Ontario) K1L 8C7
Tél.: 613 748-0850 / Téléc.: 613 748-0852
Adresse courriel: communication@interligne.ca
www.interligne.ca

Directeur de collection: Gilles Lacombe

Œuvre de la couverture: Richard Charbonneau
Une escalade lunesque, dessin numérique, 5.5 x 7 po, 2011.
Graphisme: Estelle de la Chevrotière Bova
Révision et corrections: Jacques Côté
Distribution: Diffusion Prologue inc.

Les Éditions L'Interligne bénéficient de l'appui financier du Conseil des
Arts du Canada, de la Ville d'Ottawa, du Conseil des arts de l'Ontario et
de la Fondation Trillium de l'Ontario. Nous reconnaissons l'aide financière
du gouvernement du Canada par l'entremise du Fonds du livre du Canada
(FLC) pour nos activités d'édition.

Les Éditions L'Interligne sont membres du Regroupement des éditeurs
canadiens-français (RECF).

Marquis imprimeur inc.

Québec, Canada
2011

*Ce livre est publié aux Éditions L'Interligne à Ottawa
(Ontario), Canada. Il est composé en caractères Caslon, corps
douze, et a été achevé d'imprimer sur du papier Enviro 100 %
recyclé par les presses de Marquis imprimeur (Québec), 2011.*